SUPER SUDOKU

A MIND-BOGGLING MEDLEY OF SENSATIONAL SUDOKU PUZZLES!

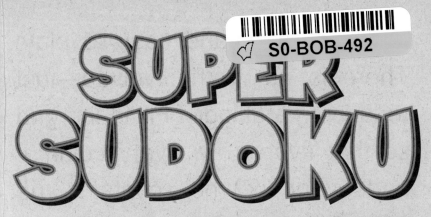

4		6	3	1				8
					2	5		
9	8			6			7	3
	3				1	8	5	9
	4						6	
2	1	9	8				3	
5	9			4			1	7
		1	6					
7				9	5	3		2

Modern Publishing
A Division of Unisystems, Inc.
New York, New York 10022

Sudoku is fun and easy to play! There is no math involved—just reasoning and logic! Fill in the grid so that every row, every column, and every 3x3 box contains the digits 1 through 9.

COVER PUZZLE

4		6	3	1				8
				2	5			
9	8			6			7	3
	3				1	8	5	9
	4					6		
2	1	9	8				3	
5	9			4			1	7
		1	6					
7				9	5	3		2

4	5	6	3	1	7	9	2	8
1	7	3	9	8	2	5	4	6
9	8	2	5	6	4	1	7	3
6	3	7	4	2	1	8	5	9
8	4	5	7	3	9	2	6	1
2	1	9	8	5	6	7	3	4
5	9	8	2	4	3	6	1	7
3	2	1	6	7	8	4	9	5
7	6	4	1	9	5	3	8	2

©2006 Modern Publishing. a division of Unisystems, Inc.

No part of this book may be reproduced in any form without written permission from the publisher. All Rights Reserved.

Printed in India
Series UPC: 50030

1

		9		2	6			
	2					1	5	8
7		4			1			6
	6			1	9	8	4	
		2	7		8	5		
	9	7	4	3			1	
6			5			7		3
9	3	5					2	
			1	4		9		

2

		9	4	1	7	2		
	1	2			3	8	5	
	6				2			7
	4				9			6
	7	6				1	2	
3			7				8	
8			9				4	
	9	4	2			5	3	
		5	8	6	4	7		

3

	8	5			7		4	
		4	5	1				6
	3		6			9		2
8	4	1		3	9			
		2				7		
			8	6		4	3	1
9		3			8		6	
7				9	5	2		
	5		2			3	1	

4

1	3					8	4	
			2	1		9		7
8				9		5	6	
	5				6	3		
7	6		9		1		5	8
		4	7				2	
	9	5		6				4
6		8		3	2			
	7	2					1	3

5

	8				4		6	2
4	3	7				1		
				1	8			5
3		2		4	5	8		
7			6		3			1
		4	2	9		5		6
5			4	2				
		1				9	5	7
6	9		7				8	

6

			2	8	3			1
3	1			7		5	4	
9		6			4		7	
2	9	8			7	1		
4			3		2			9
		7	9			2	6	5
	4					9		6
	7	1		9			2	3
			4	3	5			

7

5				1	2			
9		8			3	2		
	1					6	7	3
	2			3	5		9	6
1			8		6			7
8	5		9	4			3	
7	4	5					1	
		2	7			4		8
			3	9				5

8

		4	7	5	9			
6					2	8	3	
2	1			6		9		4
	4				6	7	5	8
		8	9		7	2		
3	7	1	8				6	
7		9		8			4	6
	8	3						2
			2	9	1			

9

2		7				9		
5				6	2	1	3	
6			5		4			8
	7	5		2	3			
	8		9		5		4	
			4	1		6	5	
8			3		7			9
	3	4	1	8				6
		1				7		3

10

		9	1	3				6
					2	8	1	
4	7		9				5	
	8			9		3		2
	6		5		3		8	
1		4		2			9	
	1				4		2	7
2	4	6	7					
3				5	8	1		

11

1	5		7	9		6		
	3	2	5				7	
			3			1		2
	1		8			2		4
6			2		5			3
4		8			6		9	
9		6			8			
	4				7	5	8	
		5		1	3		4	7

12

4		1		8			2	
					4	6	9	8
3			7	6		5		1
	7			3	5			
	4	5				9	3	
			2	9			7	
2		9		5	6			4
7	8	6	1					
	5			2		8		3

13

6		5	2	8		1		
	9	1		4		2	8	
					7			9
	6				3	5	9	8
	7						4	
3	2	8	9				6	
2			5					
	1	6		7		8	3	
		3		9	6	4		7

14

1	6			7	9			2
	9	5	2					8
	7		4			6		
	2			4		7		3
		4	9		2	1		
9		6		1			8	
		9			3		5	
3					6	4	2	
8			7	5			3	6

15

			4	9			7	8
6			3		1		5	
1	9		7					6
		9		8	7	4		
7		8				3		1
		2	1	4		8	9	
4					5		1	9
	7		6		4			2
8	5			7	2	6		

16

3	9				5		4	6
		1			4			7
	4		8	6	1		2	
		7			2			8
4	6						7	1
9			1			5		
	1		9	7	8		3	
8			2			9		
5	3		4				8	2

17

4		6	3	1				8
					2	5		
9	8			6			7	3
	3				1	8	5	9
	4						6	
2	1	9	8				3	
5	9			4			1	7
		1	6					
7				9	5	3		2

18

			5	7	2			
6		8					2	
7	1			8		4	3	
5	6	1			8	3		
8			1		7			2
		4	3			9	8	1
	2	5		3			4	7
	3		2			6		8
4			7	9	1			

19

	3		1					
2		7		9		6		8
6				4	2		9	5
		2			6	4	8	1
		9				5		
8	6	3	4			2		
1	2		3	8				7
7		4		5		8		3
					9		4	

20

	7		5	1		4		
	3	6	7					9
4					8	5		2
				9	6	1	2	4
		8				3		
9	1	4	2	7				
1		9	3					5
7					2	9	6	
		3		6	5		8	

21

		2				3	1	5
7				2	4			
9	8				5		4	
		4		5	7	9		1
2			8		1			3
8		7	9	6		5		
	4		3				6	8
			5	9				7
3	7	6				2		

22

5		3			9			4
	9			2	1	7		
			8			9	6	1
6				9		8	2	
7			2		4			6
	3	1		8				9
3	7	8			5			
		2	6	4			1	
1			3			5		8

23

		9	6	5	8	3		
	6				7			8
	2	3			1	6	7	
	8				9			2
	1	4				5	9	
5			7				6	
	3	8	2			1	4	
9			1				5	
		1	9	4	6	7		

24

9	1		7	5		2		
3							7		8
		6	4		2	5		
			1	7			8	2
	4		2		3		6	
5	2			9	4			
		3	8		1	6		
8		1						9
		5		6	9		1	4

25

5	1				4			7
		2				8	4	3
	9			2	7			
	5	9	1	6		4		
	2		5		3		8	
		7		4	9	1	3	
			4	1			9	
9	8	6				2		
7			8				5	6

26

	1		6					7
	4	5	9			1	6	
		8	7	2	1	5		
	7		8					4
	9	3				2	8	
2					6		1	
		9	1	3	8	6		
	5	7			4	9	3	
8					9		2	

27

		1		8			6	9
2	8		5	1			7	
5	3	9			4			
				2	8	3		
1		7				6		2
		3	1	6				
			7			2	9	5
	6			5	3		4	1
4	7			9		8		

28

	7	4			2		3	
	1		8			4		5
		2	3	5				6
			5	4		7	9	8
		6				2		
7	4	9		1	8			
1				7	3	9		
2		5			1		4	
	9		6			3	8	

29

	2	1	9	6				
3		4		1			5	
8		5					6	7
9			2			8		
4	5		1		6		2	3
		7			3			4
6	7					9		2
	8			3		4		1
				7	9	5	3	

30

6					2		7	
8	3				4	2		
2		4	9	6		5		
	9	2		3				8
	1		7		8		3	
5				1		7	4	
		8		9	7	1		4
		5	8				6	7
	4		3					9

31

		2	7		4		8	
7				8	2	6	5	
	1	9			5	4		
4				6	8			9
3		1				8		6
6	9		1	4				2
		7	8			1	9	
	8	6	4	9				
	5		3		1	7		

32

3			1		8	6		
		6			2	1		4
2		9		4	5			
	5		2	9			4	
	8	1				2	9	
4	9			5	1		7	
	6		7	2		9		3
1		4	3			5		
		7	5		6			2

33

			9			3		6
	9	5	1				4	
1	4		7	2		5		
	6		3			9		4
7			5		8			3
4		8			9		2	
		3		6	1		5	2
	1				5	8	7	
8		2			7			

34

2	9				4		7	5
5			2	1	6			8
		6			9		2	
	2		9			1		
1	8						4	3
		7			8		6	
	1		4			8		
9			8	3	2			4
4	3		7				5	6

35

	6	1			9			7
9		7	8	2				4
		2			7		5	
7	8			6		1		
	3		5		1		6	
		4		3			9	5
	9		6			8		
1				8	5	9		3
4			1			5	2	

36

		7			1		8	
	3	4			2			5
9		8	4	7				2
4	8			9		5		
	1		2		4		9	
		2		1			7	6
5				3	7	6		8
6			8			2	1	
	4		6			3		

37

		7			8		3	2
	6	8		7		5		4
5			1	9	4			
	5				7	2	9	1
2			4		1			8
6	1	3	2				7	
			8	4	6			
4		1		2		7	5	
3	2					8		

38

					2		1	
	5	6	9	8		7		
7		4		5		9		3
9					8	4	7	1
6								5
8	4	2	7					9
4		1		6		3		8
		3		4	1	2	9	
	8		5					

39

	8		2	3		4		7
6	2							5
	3		9		8		1	
8		6	4	2				
		1	8		5	9		
			7	9	8		3	
	1		6		4		5	
7							4	6
9		4		1	7		3	

40

			7				9	6
	3	5	1	8				2
2		7	3			5		
		9	6				5	7
	1		2		4		6	
4	5				7	8		
		3			2	1		4
6				9	3	2	8	
8	4				1			

41

4	3					7		8
	1			2		9		5
			7	3		6	2	
7					8	1		
9	6		4		5		8	2
		3	2					9
	8	5		4	7			
2		9		5			6	
1		6					4	3

42

5			9		3			1
9		3				4		
8			4	1		6	9	
				2	9	7	3	
	6		5		7		1	
	7	8	6	4				
	9	4		8	2			7
		5				3		2
1			7		6			8

43

8	2			6		4		
3				4	7		9	6
			1			2	7	5
				8	4	5		
	9	8				3	4	
		5	6	9				
2	7	9			3			
1	4		5	7				8
		6		2			1	3

44

		1				3	9	7
5			4	1				
8	6		7				4	
		4	5	7		8		9
1			9		6			3
6		5		2	8	7		
	4				3		2	6
				8	7			5
3	5	2				1		

45

1		8	6	4			5	
4			7		5	6		
		7	1			2		9
	6			7	9		8	2
	8	4				9	3	
	2		4	8			7	
2		9			4	5		
		5	9		3			1
				2	7	8		4

46

8	3						7	
9			8	4		1	6	
4			2		9			5
				6	2	9	4	
		5	9		7	2		
	9	3	1	8				
5			3		1			7
	2	1		5	6			4
	6						3	1

47

9		8					3	1
	5	4	7	3				
6		2		4			8	
		1			6			2
2	8		4		3		5	6
7			5			9		
	9			6		2		4
				1	7	8	6	
3	1					7		5

48

					1	2		
3		9	5	8				7
4	7			9			6	5
	5				8	7	2	4
	3						9	
1	8	4	7			5		
2	4			3			8	6
6				4	2	5		1
		8	9					

49

	4		7		9			2
9					5		3	1
8	5			4	2	7		
		2	3	9		8	1	
4		8				6		3
		1		8	4	9		
			9	1			4	8
3	1		4					7
7			6		3		5	

50

		4	2		1			6
3		8		4	6		2	
1					8	9		5
	6		9	1		5	3	
4	3						7	9
	5			3	4		1	
9		5	4					2
			1	5		4		3
2			7		9	8		

51

2			4					
	5			6	1		7	3
	1	9		3		5	8	
		1			5	6	4	8
		3				7		
5	8	2	6			1		
	9	6		7		8	2	
1	4		2	8			9	
					3			6

53

52

7		2		5		1		8
	4	6	1	8		2		
					9		7	
1	3	8	7					4
9								5
4					3	6	8	7
	1		6					
		3		7	4	5	9	
2		4		9		8		3

53

	2					3	4	1
		8		2	9			
6		5			3			9
	9			3	8	1	5	
		2	6		1	4		
	8	6	5	7			3	
9			4			6		7
			3	5		8		
8	7	4					2	

54

	5	7		8		1		4
			9	5	6			
8	2					9		
7	6	2	8					1
	8		5		7		9	
4					1	8	7	3
		1			9		8	2
	4		7	3	5			
6		9		1		4	5	

55

					3	9	8	7
		7	8	5				1
6	4		7				2	
	9			7		5		3
	1		2		5		9	
8		6		3			7	
	8				6		3	4
5				2	9	8		
3	6	1	4					

56

	8				6	5		7
	9	4	3				2	
		2		1	4			6
9	2	1	5	8				
		7				3		
				6	9	2	8	1
3			4	5		7		
	4				7	8	1	
5		8	9				6	

57

8			2					
	4	3		6		9	5	
	9			7	4		1	6
9	5	8	7			4		
		6				1		
		4			9	7	2	5
4	2		8	5			3	
	3	7		1		5	8	
					6			7

58

5		6	1				3	
7	8			2	5		1	
2			9			7		
	5	7		8				3
		9	5		1	8		
1				9		2	4	
		5			4			6
	3		2	6			7	4
	4				7	9		1

59

3			4	6		2		
	2		1				9	7
9	1	5			7			
2		1		9			8	
	5		3		6		4	
	4			8		3		9
			9			4	2	8
1	7				8		6	
		8		3	2			5

60

5					4			3
		8			1		6	9
		1	9	3		7		5
8				7		9	5	
	7		1		9		4	
	3	2		4				1
2		5		6	3	8		
1	4		5			2		
6			2				9	

61

2			5				8	6
1	5	7				4		
			2	4			9	
	1	8	9	5		2		
	7		1		6		4	
		5		3	8	9	6	
	9			8	5			
		4				3	7	9
3	6				7			2

62

	1		2		5	4		
5			1	4		8	3	
	6	7	8				2	
3		6		2	7			1
9	7						4	3
2			4	3				6
	5				4	6	7	
	3	4		6	2			
		8	7		9		5	

63

5		8		3			2	
2		4				1	6	
3	7			6	9			
1			8			5		
	2	5	6		3	8	7	
		9			7			4
			9	1			8	2
	1	6				7		9
	4			8		3		5

64

4			5		6			2
5				4	7	8	9	
7	3						1	
	5	3		7	8			
		2	1		5	6		
			6	9		5	4	
	9						3	8
	6	8	9	2				4
2			8		3			1

65

	8	2	7	4				
3	9			8		5		
1	5					4		6
7			2				1	
9		5	8		4	2		3
	6				3			9
4		6					7	2
		1		3			9	8
				6	7	3	5	

66

	5	9	8	6		7		
2	1				9	5		
	6				5			3
	7			4		3		9
4			3		1			2
8		5		2			1	
9			2				8	
		7	1				3	6
		1		8	3	4	9	

67

			4				9	7
9		5	8	2			3	
	7	4	5			8		
		9	6				7	1
3			7		5			4
1	6				3	2		
		1			8	6	5	
	5			9	4	1		8
2	3				6			

68

4	6		7	5			2	
	3	2		4		9	7	
					1			8
3	1	5	2			7		
		6				4		
		7			5	8	3	2
5			4					
	8	3		6		5	9	
	9			3	8		1	7

69

4	3							8
	7			5	8	3		2
	9		4		3		5	
			3	1		4		6
		2	6		9	5		
7		6		8	2			
	5		2		6		7	
8		3	1	7			6	
9							1	4

70

6	7	1						4
		3			7	8	5	
				4	3		2	
5	1			7	2			3
	6		8		1		4	
7			5	9			8	2
	2		7	5				
	8	9	6			3		
4						2	6	9

71

	5	7		1		6	9	
		2	8		7	4		
5		4				9		2
8	2						7	6
7		9				1		3
		3	5		4	7		
	4	8		9		3	1	

72

	2		6		9		5	
9			3		4			6
		4		1		7		
	8	6				1	2	
2								3
	3	5				9	7	
		9		6		8		
6			7		1			2
	4		5		3		9	

73

6			9		7			1
4	5			3			6	2
	7						9	
			2		3			
	9						5	
			1		5			
	2						8	
5	8			1			3	7
3			5		8			6

74

5	1		4		8		2	6
			9	5	6			
4				2				9
	9						5	
8								3
	4						6	
3				6				8
			2	7	1			
1	6		8		3		4	7

75

1	3		9	6		7		
6	4						2	9
				2				
2		7	3					
		4				2		
					2	4		3
				9				
8	2						9	1
		5		1	8		7	4

76

8	6						9	2
2		3		4		7		1
	4		5		7		2	
9								5
	3		2		9		1	
6		4		2		1		9
7	5						6	3

77

1							7	2
	8		9	2				
4			1				3	6
	4				1			
	3	5				1	6	
			7				5	
3	2				7			5
				1	2		9	
5	9							1

78

	6	5		1		9	8	
7								4
2			6		4			3
		2		4		7		
			1		3			
		7		8		5		
1			8		9			5
8								7
	4	6		3		2	9	

79

	6						9	
8			7		6			3
9	4						8	1
		6	4	5	2	9		
		5	8	3	1	7		
4	3						7	9
7			2		9			6
	5						1	

80

		9	8		5	4		
8	5						1	7
		4				3		
4				7				1
		7	3		1	6		
3				6				2
		1				2		
6	3						5	9
		2	5		9	8		

81

2				5				3
	7						9	
		3	6		8	7		
9	2		5		6		7	4
			9		2			
6	5		4		3		8	2
		2	8		4	1		
	8						4	
1				9				6

82

9				4	5			
	2						4	6
	7				2		8	1
					6			3
1		3				2		8
7			2					
4	1		6				3	
5	3						2	
			4	2				5

83

1		6		5		2		4
		2	1		8	9		
	8	1				5	7	
7	6						3	9
	9	5				4	2	
		7	9		6	1		
8		9		4		3		5

84

7	1		2	9		6		
8	9						2	4
				8				
	5	1	4					
		4				1		
					5	7	4	
				4				
4	8						3	1
		7		3	8		9	5

85

8				9				4
		4	1		8	5		
	5		2		3		9	
7	1						8	2
		8				6		
6	2						4	5
	4		7		9		1	
		3	4		6	7		
9				2				8

86

2	1						3	7
	8	3				1	6	
			8		1			
1			3		9			2
			7		4			
9			6		5			8
			4		2			
	7	4				2	5	
8	5						1	6

87

	3	7		9		2	1	
5		4				7		6
3			6		7			2
		6				8		
9			1		8			7
8		1				3		5
	9	5		7		6	2	

88

	4			7			2	
2			5		9			3
		9				5		
	9	8	1		4	3	7	
			7		3			
	3	5	9		6	1	4	
		7				8		
8			4		5			6
	6			1			3	

89

6	4						2	1
			4		1			
	1	9				5	6	
		3	2		7	4		
			5		8			
		1	6		3	9		
	7	4				2	1	
			8		9			
8	5						7	9

90

3	7						6	4
8		2		1		9		7
	1		4		6		9	
6								8
	2		8		1		3	
2		4		9		3		1
1	8						7	5

91

		7				3		8
9				3	1			
		5			7	4		2
5			7					
2	6						7	4
					8			6
3		2	8			6		
			3	7				1
1		6				7		

92

5	4			2	6	9		
1	2						6	7
				1				
			3			5	7	
		7				4		
	3	4			7			
				7				
7	1						8	4
		5	1	8			2	3

93

6	1			3			5	4
	7	5				9	2	
		6	1		3	7		
	9						1	
		3	2		9	4		
	3	1				5	8	
2	6			4			3	7

94

		1				3		
2			8		4			1
	6		1		9		7	
		5	4	1	3	6		
8								9
		6	9	8	5	4		
	5		7		6		8	
4			5		1			3
		2				7		

95

	4						1	
	6		3		2		4	
2		3				8		7
1				5				9
	7		8		1		5	
4				7				8
5		1				3		6
	9		6		3		2	
	8						9	

96

6	3			4			5	9
2			9		1			8
4		7				9		3
	9	6				1	8	
3		8				5		2
9			2		5			7
7	4			3			2	1

97

5	9			3			2	4
	4		9		5		7	
1								5
			3		9			
8								9
			1		4			
2								8
	7		8		2		3	
9	6			4			1	7

98

	5			7			2	
2			1		3			4
		8	6		9	7		
9	2						3	1
		1				8		
8	6						7	5
		7	4		1	2		
3			2		7			8
	9			6			4	

99

		6				5		
	2		6		5		7	
7				9				3
9		2	8		3	4		5
			9		2			
3		8	5		1	6		2
2				8				1
	1		3		6		4	
		4				9		

100

1	7						9	2
		8		2	1		6	4
				9				
					7	4		5
		4				7		
7		6	5					
				7				
2	5		9	3		6		
3	4						7	9

101

9	7						3	4
8		4				9		2
			8		9			
	9		4		6		7	
			3		1			
	6		2		5		8	
			1		7			
3		1				7		5
5	8						2	9

102

		7	2		6	9		
6				3				5
	1		9		7		4	
9	8						1	3
		1				2		
4	2						5	7
	6		4		2		7	
7				9				8
		9	5		3	1		

103

	2	6				1	7	
8								4
5			2		6			8
		4		3		9		
1			7		4			3
		8		1		7		
9			5		2			6
7								9
	4	3				5	2	

104

	6			8			4	
9			7		6			1
		2	1		9	5		
	5	7				4	9	
2								7
	1	3				2	8	
		6	5		7	9		
1			4		8			2
	9			1			3	

105

	8		2		7		9	
	6	9		3		2	7	
		2				4		
			7		3			
		7				5		
			9		4			
		5				6		
	4	8		9		7	1	
	3		6		5		8	

106

	5			8			4	
			3	9	4			
2	9		6		5		3	8
5								3
	6						1	
4								9
3	2		1		6		7	5
			2	7	8			
	1			3			6	

107

		8		7		2		
	5						3	
3			1		4			8
	4	2	6		8	1	7	
			5		2			
	3	6	7		1	5	2	
9			4		6			2
	6						4	
		1		5		9		

108

		7				2		
	8		3		9		1	
3			2		6			5
		3	8	9	1	6		
	5						4	
		6	4	5	3	8		
6			9		4			2
	7		5		8		9	
		9				1		

109

5			8		1			7
	4		7		9		6	
		7				3		
		2	1	7	3	4		
8								9
		4	9	8	2	1		
		5				6		
	2		6		4		8	
1			2		7			3

110

	9	8		5		3	2	
4		1				8		6
5			2		7			8
		6				7		
9			6		8			3
7		2				9		4
	5	4		8		6	3	

111

	3	9				6	1	
7	2			5			3	8
		2	3		9	8		
	4						9	
		3	4		7	5		
2	9			3			6	5
	8	6				4	7	

112

	1	4				3	8	
	2						9	
		8	6		3	7		
7			4	2	6			3
2			5	1	9			8
		5	8		7	1		
	7						3	
	4	3				9	5	

113

				4				
3		4				2		1
	8			1	3	6		7
					6		8	4
	4						2	
6	2		4					
2		8	9	7			5	
7		3				4		9
				3				

114

5				6				1
			8	2	1			
2		3	9		5	6		8
		1				2		
9								7
		5				8		
3		8	7		9	5		4
			3	4	6			
7				8				9

115

	6	4				2	1	
			4		8			
2		8				3		4
	4		9		2		6	
			7		1			
	9		5		3		8	
7		1				5		6
			6		7			
	8	5				4	3	

116

3			8	2		9	6	
	1	8				2	5	
				5				
6		1			4			
9								1
			1			4		9
				1				
	9	7				5	1	
	4	2		7	5			6

117

4								1
		7	4		1	9		
2		6		8		3		7
			8		3			
1								2
			2		9			
5		2		9		4		8
		8	5		2	7		
3								5

118

9			6		5			1
	6			2			9	
		1	4		3	2		
	7	3				9	1	
6								7
	8	5				6	3	
		9	2		8	5		
	2			3			6	
4			7		9			8

119

8		4				7		5
5	9			6			3	1
		9	5		7	1		
7								2
		6	2		3	5		
4	6			5			1	7
3		2				4		9

120

5				3				1
	1		7		8		9	
		4	2		6	3		
1	2						8	7
		8				4		
6	4						5	3
		3	8		9	1		
	7		3		1		4	
2				6				9

121

8	6			5			3	4
	2		1		4		6	
	5	9				1	4	
2		7				3		9
	8	6				2	5	
	4		3		2		9	
5	7			8			2	1

122

8	6						1	7
		5				4		
		3	6		8	5		
	4			9			2	
		1	4		7	9		
	5			1			7	
		2	8		3	6		
		7				2		
4	9						3	8

123

2	6			3			4	1
		7				9		
		8	4		7	5		
9				7				5
			3		8			
1				6				9
		1	6		2	3		
		9				6		
5	2			8			7	4

124

		1		8		6		
9			7		3			1
	4						9	
	3	6	5		1	7	8	
			4		6			
	9	5	8		7	4	6	
	5						3	
2			3		5			6
		7		4		2		

125

	7						2	
		5		4		1		
2			6		8			5
	6	1	5		9	8	4	
			1		7			
	2	9	8		4	7	1	
3			9		6			1
		8		7		3		
	9						6	

126

6			9		7			4
		3				6		
	8		5		6		2	
		9	1	7	5	2		
5								7
		2	3	6	9	1		
	7		2		8		1	
		8				4		
3			6		1			9

128

127

	2		4		3		9	
8				5				6
		3	7		8	4		
9	7						6	3
		2				7		
4	1						2	5
		4	6		5	2		
3				4				1
	8		9		7		3	

128

9				3				7
5	3		9		7		4	6
			5	6	8			
	4						3	
7								9
	2						1	
			3	1	2			
1	5		7		4		8	3
4				8				2

129

6			5		2			1
	2	5				4	3	
1								7
		1		4		3		
4			7		3			8
		7		8		9		
3								9
	7	8				6	2	
9			2		6			5

130

1								6
	3		6		1		8	
9	4			5			7	3
			8		9			
6								9
			7		5			
2	9			8			1	5
	5		9		2		3	
7								2

131

3		9						
		2		6				
	6	4	7					
7					9		2	5
	1		8		4		3	
6	2		3					4
					8	5	4	
				5		9		
						3		1

132

		9		7		4		
6		2	8				5	
	4		6					
					2	1		8
	9						3	
5		1	4					
					7		2	
	7				3	8		4
		3		9		7		

133

			6		5		8	
7	4							1
5		3						
				6		3		
	1		7		8		9	
		6		3				
						8		7
9							4	5
	8		2		1			

134

9		7	3					
				6		7		5
5	4		9				1	
		2					8	6
7	8					5		
	5				7		6	4
6		1		2				
					8	2		1

135

	7		3					
2	3		4					7
		1		9			5	
	9	2	1					
6								2
					7	8	3	
	2			6		7		
9					4		1	6
					5		8	

136

		6			9			4
		3	4				8	5
	8		7				2	
7	4							
		9				3		
							5	1
	3				7		6	
6	2				3	8		
9			8			4		

137

	2					3	5	
							1	9
		6	1		8			
9				8				
		4	6		5	2		
				9				8
			2		7	6		
6	5							
	1	3					4	

138

		9		7				3
			4			5		
	5		1			4	2	
8		4			5			
	2						6	
			3			7		2
	6	3			1		7	
		8			9			
5				6		2		

139

						5		3
	4		7		3			
1							9	6
				5		7		
	8		6		4		1	
		5		7				
3	9							8
			2		1		4	
6		4						

140

1		8	5					7
		7	8					
	6			9		4		
					7	8	3	
2								1
	1	9	6					
		1		2			7	
					4	3		
9					5	6		2

141

			1		9			8
						9	4	6
				6	3	1		
		7	6	2				
	5						9	
				1	4	2		
		5	3	8				
4	3	1						
6			5		7			

143

142

	7			9		8		
	2	6			5			1
3							2	5
8		1	4					
					9	2		4
5	8							2
6			1			4	3	
		4		6			7	

143

				7		1	6	
	6	8	5					
2		1	8					9
	4					7		3
3		6					1	
1					6	2		7
					3	9	4	
	9	7		4				

144

	6			2			5	
					5	9		
		5			6		7	8
					9		3	7
		2				6		
1	3		8					
4	9		7			1		
		8	4					
	2			5			8	

145

	9	3	6					2
	6		1				3	
		4			2			7
						8	5	
4								6
	7	1						
3			4			7		
	2				1		9	
6					7	5	2	

147

146

							3	1
			7			2	5	
				2			9	
8		9			3			7
		1	4		5	6		
5			1			9		2
	3			8				
	8	5			4			
6	1							

147

	8	5						4
	1				6	9		
7					4		1	3
	3		2					
		2				1		
					9		6	
3	6		9					8
		4	8				9	
8						5	7	

148

2						7	9	
3	6		5					2
		1	2				5	
	3		8					
		8				4		
					5		6	
	4				6	5		
9					1		4	3
	2	7						1

149

1		3						2
7				9			5	
		5			6			
	2			5			1	
			6		8			
	4			3			8	
			8			6		
	5			2				7
9						1		3

150

2			6		9			
	1						8	4
						2	3	
				7		5		
9			3		2			1
		7		5				
	8	5						
4	3						9	
			7		8			2

152

151

	7				9	8	2	
					1	3		
		4		2				5
					5	6		3
	2						4	
4		7	8					
8				7		1		
		5	6					
	4	6	9				5	

152

						1		9
	9		2		7			
		5				6	8	
				3				4
	7		1		9		5	
3				4				
	8	1				7		
			3		6		9	
4		6						

153

		9		6			5	
1		8				7		
4					2			
	1			5			6	
			2		4			
	2			8			3	
			4					5
		6				1		8
	5			7		9		

154

	5		4					
7		4	6				9	
2				1				5
8		9	5					
	2						3	
					7	6		8
3				2				1
	1				3	5		6
					1		7	

155

	9	3						
		7		6				
6		1	4					
	4				3		2	7
5			8		1			9
7	6		9				1	
					8	2		1
				2		3		
						9	5	

156

9			2			5		6
	3	4						9
		2	9				7	
		5			2			
	1						8	
			8			6		
	2				5	1		
7						9	3	
6		1			7			4

157

	8				6	1		
2	7		5			6		
5			9					7
							3	4
		8				5		
1	9							
6					9			2
		5			1		4	6
		7	8				1	

158

4		7	5					
				6		9		4
	1	9	7				8	
	2	4						9
3						6	2	
	9				4	1	6	
8		6		3				
					2	8		3

159

		1	2					
	7			6		8		
5		2	3					1
	5	6	7					
4								5
					1	2	9	
6					3	7		4
		5		4			1	
					8	9		

160

2		4	1			5		
		5					9	7
	3		5					1
					1			2
	8						6	
4			8					
6					2		1	
5	9					3		
		7			3	4		6

161

3				7		6		
5	1							9
	6				4			
		8		1		2		
			4		2			
		9		6		5		
			2				4	
7							5	1
		6		9				3

162

		6		2			4	
7		5				8		
9			1					
	7			4			2	
			9		1			
	1			5			3	
					9			4
		2				7		5
	4			8		6		

163

1	5			3				
		6			7	8	5	
					4		7	1
5						9	1	
	3	9						2
2	6		9					
	8	3	1			5		
				2			3	6

ANSWERS

1

1	5	9	8	2	6	3	7	4
3	2	6	9	7	4	1	5	8
7	8	4	3	5	1	2	9	6
5	6	3	2	1	9	8	4	7
4	1	2	7	6	8	5	3	9
8	9	7	4	3	5	6	1	2
6	4	1	5	9	2	7	8	3
9	3	5	6	8	7	4	2	1
2	7	8	1	4	3	9	6	5

2

5	8	9	4	1	7	2	6	3
7	1	2	6	9	3	8	5	4
4	6	3	5	8	2	9	1	7
2	4	8	1	5	9	3	7	6
9	7	6	3	4	8	1	2	5
3	5	1	7	2	6	4	8	9
8	2	7	9	3	5	6	4	1
6	9	4	2	7	1	5	3	8
1	3	5	8	6	4	7	9	2

3

6	8	5	9	2	7	1	4	3
2	9	4	5	1	3	8	7	6
1	3	7	6	8	4	9	5	2
8	4	1	7	3	9	6	2	5
3	6	2	4	5	1	7	9	8
5	7	9	8	6	2	4	3	1
9	2	3	1	4	8	5	6	7
7	1	6	3	9	5	2	8	4
4	5	8	2	7	6	3	1	9

4

1	3	9	6	7	5	8	4	2
5	4	6	2	1	8	9	3	7
8	2	7	3	9	4	5	6	1
2	5	1	8	4	6	3	7	9
7	6	3	9	2	1	4	5	8
9	8	4	7	5	3	1	2	6
3	9	5	1	6	7	2	8	4
6	1	8	4	3	2	7	9	5
4	7	2	5	8	9	6	1	3

5

1	8	5	9	7	4	3	6	2
4	3	7	5	6	2	1	9	8
9	2	6	3	1	8	7	4	5
3	6	2	1	4	5	8	7	9
7	5	9	6	8	3	4	2	1
8	1	4	2	9	7	5	3	6
5	7	8	4	2	9	6	1	3
2	4	1	8	3	6	9	5	7
6	9	3	7	5	1	2	8	4

6

7	5	4	2	8	3	6	9	1
3	1	2	6	7	9	5	4	8
9	8	6	1	5	4	3	7	2
2	9	8	5	6	7	1	3	4
4	6	5	3	1	2	7	8	9
1	3	7	9	4	8	2	6	5
8	4	3	7	2	1	9	5	6
5	7	1	8	9	6	4	2	3
6	2	9	4	3	5	8	1	7

ANSWERS

7

5	7	3	6	1	2	9	8	4
9	6	8	4	7	3	2	5	1
2	1	4	5	8	9	6	7	3
4	2	7	1	3	5	8	9	6
1	3	9	8	2	6	5	4	7
8	5	6	9	4	7	1	3	2
7	4	5	2	6	8	3	1	9
3	9	2	7	5	1	4	6	8
6	8	1	3	9	4	7	2	5

8

8	3	4	7	5	9	6	2	1
6	9	7	4	1	2	8	3	5
2	1	5	3	6	8	9	7	4
9	4	2	1	3	6	7	5	8
5	6	8	9	4	7	2	1	3
3	7	1	8	2	5	4	6	9
7	2	9	5	8	3	1	4	6
1	8	3	6	7	4	5	9	2
4	5	6	2	9	1	3	8	7

9

2	4	7	8	3	1	9	6	5
5	9	8	7	6	2	1	3	4
6	1	3	5	9	4	2	7	8
4	7	5	6	2	3	8	9	1
1	8	6	9	7	5	3	4	2
3	2	9	4	1	8	6	5	7
8	6	2	3	5	7	4	1	9
7	3	4	1	8	9	5	2	6
9	5	1	2	4	6	7	8	3

10

8	2	9	1	3	5	4	7	6
6	5	3	4	7	2	8	1	9
4	7	1	9	8	6	2	5	3
7	8	5	6	9	1	3	4	2
9	6	2	5	4	3	7	8	1
1	3	4	8	2	7	6	9	5
5	1	8	3	6	4	9	2	7
2	4	6	7	1	9	5	3	8
3	9	7	2	5	8	1	6	4

11

1	5	4	7	9	2	6	3	8
8	3	2	5	6	1	4	7	9
7	6	9	3	8	4	1	5	2
5	1	3	8	7	9	2	6	4
6	9	7	2	4	5	8	1	3
4	2	8	1	3	6	7	9	5
9	7	6	4	5	8	3	2	1
3	4	1	9	2	7	5	8	6
2	8	5	6	1	3	9	4	7

12

4	6	1	5	8	9	3	2	7
5	2	7	3	1	4	6	9	8
3	9	8	7	6	2	5	4	1
9	7	2	4	3	5	1	8	6
8	4	5	6	7	1	9	3	2
6	1	3	2	9	8	4	7	5
2	3	9	8	5	6	7	1	4
7	8	6	1	4	3	2	5	9
1	5	4	9	2	7	8	6	3

ANSWERS

13

6	3	5	2	8	9	1	7	4
7	9	1	6	4	5	2	8	3
4	8	2	3	1	7	6	5	9
1	6	4	7	2	3	5	9	8
5	7	9	8	6	1	3	4	2
3	2	8	9	5	4	7	6	1
2	4	7	5	3	8	9	1	6
9	1	6	4	7	2	8	3	5
8	5	3	1	9	6	4	2	7

14

1	6	8	3	7	9	5	4	2
4	9	5	2	6	1	3	7	8
2	7	3	4	8	5	6	1	9
5	2	1	6	4	8	7	9	3
7	8	4	9	3	2	1	6	5
9	3	6	5	1	7	2	8	4
6	4	9	1	2	3	8	5	7
3	5	7	8	9	6	4	2	1
8	1	2	7	5	4	9	3	6

15

2	3	5	4	9	6	1	7	8
6	8	7	3	2	1	9	5	4
1	9	4	7	5	8	2	3	6
3	1	9	2	8	7	4	6	5
7	4	8	5	6	9	3	2	1
5	6	2	1	4	3	8	9	7
4	2	6	8	3	5	7	1	9
9	7	3	6	1	4	5	8	2
8	5	1	9	7	2	6	4	3

16

3	9	8	7	2	5	1	4	6
6	2	1	3	9	4	8	5	7
7	4	5	8	6	1	3	2	9
1	5	7	6	3	2	4	9	8
4	6	3	5	8	9	2	7	1
9	8	2	1	4	7	5	6	3
2	1	4	9	7	8	6	3	5
8	7	6	2	5	3	9	1	4
5	3	9	4	1	6	7	8	2

17

4	5	6	3	1	7	9	2	8
1	7	3	9	8	2	5	4	6
9	8	2	5	6	4	1	7	3
6	3	7	4	2	1	8	5	9
8	4	5	7	3	9	2	6	1
2	1	9	8	5	6	7	3	4
5	9	8	2	4	3	6	1	7
3	2	1	6	7	8	4	9	5
7	6	4	1	9	5	3	8	2

18

3	4	9	5	7	2	8	1	6
6	5	8	4	1	3	7	2	9
7	1	2	6	8	9	4	3	5
5	6	1	9	2	8	3	7	4
8	9	3	1	4	7	5	6	2
2	7	4	3	6	5	9	8	1
9	2	5	8	3	6	1	4	7
1	3	7	2	5	4	6	9	8
4	8	6	7	9	1	2	5	3

ANSWERS

19

9	3	5	1	6	8	7	2	4
2	4	7	5	9	3	6	1	8
6	8	1	7	4	2	3	9	5
5	7	2	9	3	6	4	8	1
4	1	9	8	2	7	5	3	6
8	6	3	4	1	5	2	7	9
1	2	6	3	8	4	9	5	7
7	9	4	2	5	1	8	6	3
3	5	8	6	7	9	1	4	2

20

8	7	2	5	1	9	4	3	6
5	3	6	7	2	4	8	1	9
4	9	1	6	3	8	5	7	2
3	5	7	8	9	6	1	2	4
6	2	8	4	5	1	3	9	7
9	1	4	2	7	3	6	5	8
1	6	9	3	8	7	2	4	5
7	8	5	1	4	2	9	6	3
2	4	3	9	6	5	7	8	1

21

4	6	2	7	8	9	3	1	5
7	5	3	1	2	4	8	9	6
9	8	1	6	3	5	7	4	2
6	3	4	2	5	7	9	8	1
2	9	5	8	4	1	6	7	3
8	1	7	9	6	3	5	2	4
5	4	9	3	7	2	1	6	8
1	2	8	5	9	6	4	3	7
3	7	6	4	1	8	2	5	9

22

5	1	3	7	6	9	2	8	4
8	9	6	4	2	1	7	3	5
4	2	7	8	5	3	9	6	1
6	4	5	1	9	7	8	2	3
7	8	9	2	3	4	1	5	6
2	3	1	5	8	6	4	7	9
3	7	8	9	1	5	6	4	2
9	5	2	6	4	8	3	1	7
1	6	4	3	7	2	5	9	8

23

1	7	9	6	5	8	3	2	4
4	6	5	3	2	7	9	1	8
8	2	3	4	9	1	6	7	5
7	8	6	5	1	9	4	3	2
3	1	4	8	6	2	5	9	7
5	9	2	7	3	4	8	6	1
6	3	8	2	7	5	1	4	9
9	4	7	1	8	3	2	5	6
2	5	1	9	4	6	7	8	3

24

9	1	4	7	5	8	2	3	6
3	5	2	9	1	6	7	4	8
7	8	6	4	3	2	5	9	1
6	3	9	1	7	5	4	8	2
1	4	7	2	8	3	9	6	5
5	2	8	6	9	4	1	7	3
4	9	3	8	2	1	6	5	7
8	6	1	5	4	7	3	2	9
2	7	5	3	6	9	8	1	4

ANSWERS

25

5	1	3	6	8	4	9	2	7
6	7	2	9	5	1	8	4	3
4	9	8	3	2	7	5	6	1
3	5	9	1	6	8	4	7	2
1	2	4	5	7	3	6	8	9
8	6	7	2	4	9	1	3	5
2	3	5	4	1	6	7	9	8
9	8	6	7	3	5	2	1	4
7	4	1	8	9	2	3	5	6

26

3	1	2	6	4	5	8	9	7
7	4	5	9	8	3	1	6	2
9	6	8	7	2	1	5	4	3
6	7	1	8	9	2	3	5	4
5	9	3	4	1	7	2	8	6
2	8	4	3	5	6	7	1	9
4	2	9	1	3	8	6	7	5
1	5	7	2	6	4	9	3	8
8	3	6	5	7	9	4	2	1

27

7	4	1	3	8	2	5	6	9
2	8	6	5	1	9	4	7	3
5	3	9	6	7	4	1	2	8
6	5	4	9	2	8	3	1	7
1	9	7	4	3	5	6	8	2
8	2	3	1	6	7	9	5	4
3	1	8	7	4	6	2	9	5
9	6	2	8	5	3	7	4	1
4	7	5	2	9	1	8	3	6

28

5	7	4	1	6	2	8	3	9
6	1	3	8	9	7	4	2	5
9	8	2	3	5	4	1	7	6
3	2	1	5	4	6	7	9	8
8	5	6	7	3	9	2	1	4
7	4	9	2	1	8	5	6	3
1	6	8	4	7	3	9	5	2
2	3	5	9	8	1	6	4	7
4	9	7	6	2	5	3	8	1

29

7	2	1	9	6	5	3	4	8
3	6	4	7	1	8	2	5	9
8	9	5	3	2	4	1	6	7
9	3	6	2	4	7	8	1	5
4	5	8	1	9	6	7	2	3
2	1	7	5	8	3	6	9	4
6	7	3	4	5	1	9	8	2
5	8	9	6	3	2	4	7	1
1	4	2	8	7	9	5	3	6

30

6	5	9	1	8	2	4	7	3
8	3	1	5	7	4	2	9	6
2	7	4	9	6	3	5	8	1
7	9	2	4	3	5	6	1	8
4	1	6	7	2	8	9	3	5
5	8	3	6	1	9	7	4	2
3	6	8	2	9	7	1	5	4
9	2	5	8	4	1	3	6	7
1	4	7	3	5	6	8	2	9

ANSWERS

31

5	6	2	7	1	4	9	8	3
7	4	3	9	8	2	6	5	1
8	1	9	6	3	5	4	2	7
4	7	5	2	6	8	3	1	9
3	2	1	5	7	9	8	4	6
6	9	8	1	4	3	5	7	2
2	3	7	8	5	6	1	9	4
1	8	6	4	9	7	2	3	5
9	5	4	3	2	1	7	6	8

32

3	4	5	1	7	8	6	2	9
8	7	6	9	3	2	1	5	4
2	1	9	6	4	5	7	3	8
6	5	3	2	9	7	8	4	1
7	8	1	4	6	3	2	9	5
4	9	2	8	5	1	3	7	6
5	6	8	7	2	4	9	1	3
1	2	4	3	8	9	5	6	7
9	3	7	5	1	6	4	8	2

33

2	8	7	9	5	4	3	1	6
3	9	5	1	8	6	2	4	7
1	4	6	7	2	3	5	9	8
5	6	1	3	7	2	9	8	4
7	2	9	5	4	8	1	6	3
4	3	8	6	1	9	7	2	5
9	7	3	8	6	1	4	5	2
6	1	4	2	3	5	8	7	9
8	5	2	4	9	7	6	3	1

34

2	9	1	3	8	4	6	7	5
5	7	3	2	1	6	4	9	8
8	4	6	5	7	9	3	2	1
6	2	4	9	5	3	1	8	7
1	8	9	6	2	7	5	4	3
3	5	7	1	4	8	9	6	2
7	1	2	4	6	5	8	3	9
9	6	5	8	3	2	7	1	4
4	3	8	7	9	1	2	5	6

35

3	6	1	4	5	9	2	8	7
9	5	7	8	2	6	3	1	4
8	4	2	3	1	7	6	5	9
7	8	5	9	6	4	1	3	2
2	3	9	5	7	1	4	6	8
6	1	4	2	3	8	7	9	5
5	9	3	6	4	2	8	7	1
1	2	6	7	8	5	9	4	3
4	7	8	1	9	3	5	2	6

36

2	6	7	3	5	1	9	8	4
1	3	4	9	8	2	7	6	5
9	5	8	4	7	6	1	3	2
4	8	6	7	9	3	5	2	1
7	1	5	2	6	4	8	9	3
3	9	2	5	1	8	4	7	6
5	2	9	1	3	7	6	4	8
6	7	3	8	4	5	2	1	9
8	4	1	6	2	9	3	5	7

ANSWERS

37

1	4	7	5	6	8	9	3	2
9	6	8	3	7	2	5	1	4
5	3	2	1	9	4	6	8	7
8	5	4	6	3	7	2	9	1
2	7	9	4	5	1	3	6	8
6	1	3	2	8	9	4	7	5
7	9	5	8	4	6	1	2	3
4	8	1	9	2	3	7	5	6
3	2	6	7	1	5	8	4	9

38

3	9	8	4	7	2	5	1	6
1	5	6	9	8	3	7	4	2
7	2	4	1	5	6	9	8	3
9	3	5	6	2	8	4	7	1
6	1	7	3	9	4	8	2	5
8	4	2	7	1	5	6	3	9
4	7	1	2	6	9	3	5	8
5	6	3	8	4	1	2	9	7
2	8	9	5	3	7	1	6	4

39

1	8	5	2	3	6	4	9	7
6	2	9	7	4	1	3	8	5
4	3	7	9	5	8	6	1	2
8	9	6	4	2	3	5	7	1
3	7	1	8	6	5	9	2	4
5	4	2	1	7	9	8	6	3
2	1	3	6	8	4	7	5	9
7	5	8	3	9	2	1	4	6
9	6	4	5	1	7	2	3	8

40

1	8	4	7	2	5	3	9	6
9	3	5	1	8	6	7	4	2
2	6	7	3	4	9	5	1	8
3	2	9	6	1	8	4	5	7
7	1	8	2	5	4	9	6	3
4	5	6	9	3	7	8	2	1
5	9	3	8	6	2	1	7	4
6	7	1	4	9	3	2	8	5
8	4	2	5	7	1	6	3	9

41

4	3	2	5	6	9	7	1	8
6	1	7	8	2	4	9	3	5
5	9	8	7	3	1	6	2	4
7	2	4	3	9	8	1	5	6
9	6	1	4	7	5	3	8	2
8	5	3	2	1	6	4	7	9
3	8	5	6	4	7	2	9	1
2	4	9	1	5	3	8	6	7
1	7	6	9	8	2	5	4	3

42

5	4	6	9	7	3	2	8	1
9	1	3	2	6	8	4	7	5
8	2	7	4	1	5	6	9	3
4	5	1	8	2	9	7	3	6
2	6	9	5	3	7	8	1	4
3	7	8	6	4	1	5	2	9
6	9	4	3	8	2	1	5	7
7	8	5	1	9	4	3	6	2
1	3	2	7	5	6	9	4	8

ANSWERS

43

8	2	7	9	6	5	4	3	1
3	5	1	2	4	7	8	9	6
9	6	4	1	3	8	2	7	5
7	1	2	3	8	4	5	6	9
6	9	8	7	5	1	3	4	2
4	3	5	6	9	2	1	8	7
2	7	9	8	1	3	6	5	4
1	4	3	5	7	6	9	2	8
5	8	6	4	2	9	7	1	3

44

4	2	1	8	6	5	3	9	7
5	7	3	4	1	9	6	8	2
8	6	9	7	3	2	5	4	1
2	3	4	5	7	1	8	6	9
1	8	7	9	4	6	2	5	3
6	9	5	3	2	8	7	1	4
7	4	8	1	5	3	9	2	6
9	1	6	2	8	7	4	3	5
3	5	2	6	9	4	1	7	8

45

1	9	8	6	4	2	3	5	7
4	3	2	7	9	5	6	1	8
6	5	7	1	3	8	2	4	9
5	6	1	3	7	9	4	8	2
7	8	4	2	5	1	9	3	6
9	2	3	4	8	6	1	7	5
2	7	9	8	1	4	5	6	3
8	4	5	9	6	3	7	2	1
3	1	6	5	2	7	8	9	4

46

8	3	2	6	1	5	4	7	9
9	5	7	8	4	3	1	6	2
4	1	6	2	7	9	3	8	5
1	7	8	5	6	2	9	4	3
6	4	5	9	3	7	2	1	8
2	9	3	1	8	4	7	5	6
5	8	4	3	9	1	6	2	7
3	2	1	7	5	6	8	9	4
7	6	9	4	2	8	5	3	1

47

9	7	8	6	5	2	4	3	1
1	5	4	7	3	8	6	2	9
6	3	2	1	4	9	5	8	7
5	4	1	8	9	6	3	7	2
2	8	9	4	7	3	1	5	6
7	6	3	5	2	1	9	4	8
8	9	7	3	6	5	2	1	4
4	2	5	9	1	7	8	6	3
3	1	6	2	8	4	7	9	5

48

8	6	5	4	7	1	2	3	9
3	2	9	5	8	6	4	1	7
4	7	1	2	9	3	8	6	5
9	5	6	3	1	8	7	2	4
7	3	2	6	5	4	1	9	8
1	8	4	7	2	9	6	5	3
2	4	7	1	3	5	9	8	6
6	9	3	8	4	2	5	7	1
5	1	8	9	6	7	3	4	2

ANSWERS

49

1	4	6	7	3	9	5	8	2
9	2	7	8	6	5	4	3	1
8	5	3	1	4	2	7	9	6
5	7	2	3	9	6	8	1	4
4	9	8	5	7	1	6	2	3
6	3	1	2	8	4	9	7	5
2	6	5	9	1	7	3	4	8
3	1	9	4	5	8	2	6	7
7	8	4	6	2	3	1	5	9

50

5	7	4	2	9	1	3	8	6
3	9	8	5	4	6	1	2	7
1	2	6	3	7	8	9	4	5
8	6	2	9	1	7	5	3	4
4	3	1	8	2	5	6	7	9
7	5	9	6	3	4	2	1	8
9	1	5	4	8	3	7	6	2
6	8	7	1	5	2	4	9	3
2	4	3	7	6	9	8	5	1

51

2	3	7	4	5	8	9	6	1
8	5	4	9	6	1	2	7	3
6	1	9	7	3	2	5	8	4
9	7	1	3	2	5	6	4	8
4	6	3	8	1	9	7	5	2
5	8	2	6	4	7	1	3	9
3	9	6	1	7	4	8	2	5
1	4	5	2	8	6	3	9	7
7	2	8	5	9	3	4	1	6

52

7	9	2	4	5	6	1	3	8
3	4	6	1	8	7	2	5	9
8	5	1	3	2	9	4	7	6
1	3	8	7	6	5	9	2	4
9	6	7	8	4	2	3	1	5
4	2	5	9	1	3	6	8	7
5	1	9	6	3	8	7	4	2
6	8	3	2	7	4	5	9	1
2	7	4	5	9	1	8	6	3

53

7	2	9	8	6	5	3	4	1
3	4	8	1	2	9	7	6	5
6	1	5	7	4	3	2	8	9
4	9	7	2	3	8	1	5	6
5	3	2	6	9	1	4	7	8
1	8	6	5	7	4	9	3	2
9	5	3	4	8	2	6	1	7
2	6	1	3	5	7	8	9	4
8	7	4	9	1	6	5	2	3

54

9	5	7	3	8	2	1	6	4
3	1	4	9	5	6	7	2	8
8	2	6	1	7	4	9	3	5
7	6	2	8	9	3	5	4	1
1	8	3	5	4	7	2	9	6
4	9	5	6	2	1	8	7	3
5	7	1	4	6	9	3	8	2
2	4	8	7	3	5	6	1	9
6	3	9	2	1	8	4	5	7

ANSWERS

55

1	2	5	6	4	3	9	8	7
9	3	7	8	5	2	6	4	1
6	4	8	7	9	1	3	2	5
4	9	2	1	7	8	5	6	3
7	1	3	2	6	5	4	9	8
8	5	6	9	3	4	1	7	2
2	8	9	5	1	6	7	3	4
5	7	4	3	2	9	8	1	6
3	6	1	4	8	7	2	5	9

56

1	8	3	2	9	6	5	4	7
6	9	4	3	7	5	1	2	8
7	5	2	8	1	4	9	3	6
9	2	1	5	8	3	6	7	4
8	6	7	1	4	2	3	5	9
4	3	5	7	6	9	2	8	1
3	1	6	4	5	8	7	9	2
2	4	9	6	3	7	8	1	5
5	7	8	9	2	1	4	6	3

57

8	6	1	2	9	5	3	7	4
7	4	3	1	6	8	9	5	2
5	9	2	3	7	4	8	1	6
9	5	8	7	2	1	4	6	3
2	7	6	5	4	3	1	9	8
3	1	4	6	8	9	7	2	5
4	2	9	8	5	7	6	3	1
6	3	7	4	1	2	5	8	9
1	8	5	9	3	6	2	4	7

58

5	9	6	1	7	8	4	3	2
7	8	3	4	2	5	6	1	9
2	1	4	9	3	6	7	5	8
4	5	7	6	8	2	1	9	3
3	2	9	5	4	1	8	6	7
1	6	8	7	9	3	2	4	5
9	7	5	8	1	4	3	2	6
8	3	1	2	6	9	5	7	4
6	4	2	3	5	7	9	8	1

59

3	8	7	4	6	9	2	5	1
6	2	4	1	5	3	8	9	7
9	1	5	8	2	7	6	3	4
2	3	1	7	9	4	5	8	6
8	5	9	3	1	6	7	4	2
7	4	6	2	8	5	3	1	9
5	6	3	9	7	1	4	2	8
1	7	2	5	4	8	9	6	3
4	9	8	6	3	2	1	7	5

60

7	5	9	6	8	4	1	2	3
3	2	8	7	5	1	4	6	9
4	6	1	9	3	2	7	8	5
8	1	4	3	7	6	9	5	2
5	7	6	1	2	9	3	4	8
9	3	2	8	4	5	6	7	1
2	9	5	4	6	3	8	1	7
1	4	7	5	9	8	2	3	6
6	8	3	2	1	7	5	9	4

ANSWERS

61

2	4	9	5	7	3	1	8	6
1	5	7	8	6	9	4	2	3
8	3	6	2	4	1	7	9	5
6	1	8	9	5	4	2	3	7
9	7	3	1	2	6	5	4	8
4	2	5	7	3	8	9	6	1
7	9	2	3	8	5	6	1	4
5	8	4	6	1	2	3	7	9
3	6	1	4	9	7	8	5	2

62

8	1	3	2	7	5	4	6	9
5	9	2	1	4	6	8	3	7
4	6	7	8	9	3	1	2	5
3	4	6	9	2	7	5	8	1
9	7	1	6	5	8	2	4	3
2	8	5	4	3	1	7	9	6
1	5	9	3	8	4	6	7	2
7	3	4	5	6	2	9	1	8
6	2	8	7	1	9	3	5	4

63

5	6	8	4	3	1	9	2	7
2	9	4	5	7	8	1	6	3
3	7	1	2	6	9	4	5	8
1	3	7	8	4	2	5	9	6
4	2	5	6	9	3	8	7	1
6	8	9	1	5	7	2	3	4
7	5	3	9	1	4	6	8	2
8	1	6	3	2	5	7	4	9
9	4	2	7	8	6	3	1	5

64

4	8	9	5	1	6	3	7	2
5	2	1	3	4	7	8	9	6
7	3	6	2	8	9	4	1	5
6	5	3	4	7	8	1	2	9
9	4	2	1	3	5	6	8	7
8	1	7	6	9	2	5	4	3
1	9	5	7	6	4	2	3	8
3	6	8	9	2	1	7	5	4
2	7	4	8	5	3	9	6	1

65

6	8	2	7	4	5	9	3	1
3	9	4	6	8	1	5	2	7
1	5	7	3	2	9	4	8	6
7	4	3	2	9	6	8	1	5
9	1	5	8	7	4	2	6	3
2	6	8	5	1	3	7	4	9
4	3	6	9	5	8	1	7	2
5	7	1	4	3	2	6	9	8
8	2	9	1	6	7	3	5	4

66

3	5	9	8	6	2	7	4	1
2	1	4	7	3	9	5	6	8
7	6	8	4	1	5	9	2	3
1	7	2	6	4	8	3	5	9
4	9	6	3	5	1	8	7	2
8	3	5	9	2	7	6	1	4
9	4	3	2	7	6	1	8	5
5	8	7	1	9	4	2	3	6
6	2	1	5	8	3	4	9	7

ANSWERS

67

8	2	3	4	6	1	5	9	7
9	1	5	8	2	7	4	3	6
6	7	4	5	3	9	8	1	2
5	4	9	6	8	2	3	7	1
3	8	2	7	1	5	9	6	4
1	6	7	9	4	3	2	8	5
4	9	1	2	7	8	6	5	3
7	5	6	3	9	4	1	2	8
2	3	8	1	5	6	7	4	9

68

4	6	8	7	5	9	1	2	3
1	3	2	8	4	6	9	7	5
7	5	9	3	2	1	6	4	8
3	1	5	2	8	4	7	6	9
8	2	6	9	7	3	4	5	1
9	4	7	6	1	5	8	3	2
5	7	1	4	9	2	3	8	6
2	8	3	1	6	7	5	9	4
6	9	4	5	3	8	2	1	7

69

4	3	5	7	2	1	6	9	8
6	7	1	9	5	8	3	4	2
2	9	8	4	6	3	7	5	1
5	8	9	3	1	7	4	2	6
3	1	2	6	4	9	5	8	7
7	4	6	5	8	2	1	3	9
1	5	4	2	9	6	8	7	3
8	2	3	1	7	4	9	6	5
9	6	7	8	3	5	2	1	4

70

6	7	1	2	8	5	9	3	4
2	4	3	9	6	7	8	5	1
8	9	5	1	4	3	7	2	6
5	1	8	4	7	2	6	9	3
9	6	2	8	3	1	5	4	7
7	3	4	5	9	6	1	8	2
3	2	6	7	5	9	4	1	8
1	8	9	6	2	4	3	7	5
4	5	7	3	1	8	2	6	9

71

4	5	7	3	1	2	6	9	8
1	8	6	9	4	5	2	3	7
3	9	2	8	6	7	4	5	1
5	3	4	6	7	1	9	8	2
8	2	1	4	3	9	5	7	6
7	6	9	2	5	8	1	4	3
6	1	3	5	8	4	7	2	9
9	7	5	1	2	3	8	6	4
2	4	8	7	9	6	3	1	5

72

8	2	3	6	7	9	4	5	1
9	1	7	3	5	4	2	8	6
5	6	4	2	1	8	7	3	9
7	8	6	9	3	5	1	2	4
2	9	1	8	4	7	5	6	3
4	3	5	1	2	6	9	7	8
3	7	9	4	6	2	8	1	5
6	5	8	7	9	1	3	4	2
1	4	2	5	8	3	6	9	7

ANSWERS

73

6	3	2	9	5	7	8	4	1
4	5	9	8	3	1	7	6	2
1	7	8	6	4	2	5	9	3
8	1	5	2	9	3	6	7	4
2	9	3	7	6	4	1	5	8
7	6	4	1	8	5	3	2	9
9	2	1	3	7	6	4	8	5
5	8	6	4	1	9	2	3	7
3	4	7	5	2	8	9	1	6

74

5	1	9	4	3	8	7	2	6
2	7	8	9	5	6	3	1	4
4	3	6	1	2	7	5	8	9
6	9	3	7	4	2	8	5	1
8	5	2	6	1	9	4	7	3
7	4	1	3	8	5	9	6	2
3	2	7	5	6	4	1	9	8
9	8	4	2	7	1	6	3	5
1	6	5	8	9	3	2	4	7

75

1	3	2	9	6	5	7	4	8
6	4	8	7	3	1	5	2	9
7	5	9	8	2	4	1	3	6
2	8	7	3	4	6	9	1	5
3	1	4	5	8	9	2	6	7
5	9	6	1	7	2	4	8	3
4	7	1	6	9	3	8	5	2
8	2	3	4	5	7	6	9	1
9	6	5	2	1	8	3	7	4

76

8	6	5	3	7	1	4	9	2
4	7	1	8	9	2	5	3	6
2	9	3	6	4	5	7	8	1
1	4	6	5	3	7	9	2	8
9	2	8	1	6	4	3	7	5
5	3	7	2	8	9	6	1	4
6	8	4	7	2	3	1	5	9
3	1	2	9	5	6	8	4	7
7	5	9	4	1	8	2	6	3

77

1	6	9	4	3	5	8	7	2
7	8	3	9	2	6	5	1	4
4	5	2	1	7	8	9	3	6
9	4	7	6	5	1	2	8	3
8	3	5	2	4	9	1	6	7
2	1	6	7	8	3	4	5	9
3	2	1	8	9	7	6	4	5
6	7	4	5	1	2	3	9	8
5	9	8	3	6	4	7	2	1

78

4	6	5	3	1	7	9	8	2
7	3	1	2	9	8	6	5	4
2	9	8	6	5	4	1	7	3
9	8	2	5	4	6	7	3	1
6	5	4	1	7	3	8	2	9
3	1	7	9	8	2	5	4	6
1	7	3	8	2	9	4	6	5
8	2	9	4	6	5	3	1	7
5	4	6	7	3	1	2	9	8

ANSWERS

79

5	6	3	1	8	4	2	9	7
8	2	1	7	9	6	5	4	3
9	4	7	5	2	3	6	8	1
1	7	6	4	5	2	9	3	8
3	8	4	9	6	7	1	2	5
2	9	5	8	3	1	7	6	4
4	3	2	6	1	5	8	7	9
7	1	8	2	4	9	3	5	6
6	5	9	3	7	8	4	1	2

80

1	7	9	8	3	5	4	2	6
8	5	3	2	4	6	9	1	7
2	6	4	1	9	7	3	8	5
4	8	6	9	7	2	5	3	1
9	2	7	3	5	1	6	4	8
3	1	5	4	6	8	7	9	2
5	9	1	6	8	3	2	7	4
6	3	8	7	2	4	1	5	9
7	4	2	5	1	9	8	6	3

81

2	1	8	7	5	9	4	6	3
4	7	6	3	2	1	5	9	8
5	9	3	6	4	8	7	2	1
9	2	1	5	8	6	3	7	4
8	3	4	9	7	2	6	1	5
6	5	7	4	1	3	9	8	2
7	6	2	8	3	4	1	5	9
3	8	9	1	6	5	2	4	7
1	4	5	2	9	7	8	3	6

82

9	6	1	8	4	5	3	7	2
8	2	5	3	1	7	9	4	6
3	7	4	9	6	2	5	8	1
2	4	8	1	9	6	7	5	3
1	9	3	5	7	4	2	6	8
7	5	6	2	3	8	4	1	9
4	1	2	6	5	9	8	3	7
5	3	9	7	8	1	6	2	4
6	8	7	4	2	3	1	9	5

83

1	7	6	3	5	9	2	8	4
4	3	2	1	6	8	9	5	7
9	5	8	2	7	4	6	1	3
2	8	1	4	9	3	5	7	6
7	6	4	5	2	1	8	3	9
3	9	5	6	8	7	4	2	1
6	4	3	8	1	5	7	9	2
5	2	7	9	3	6	1	4	8
8	1	9	7	4	2	3	6	5

84

7	1	5	2	9	4	6	8	3
8	9	3	7	6	1	5	2	4
6	4	2	5	8	3	9	1	7
2	5	1	4	7	9	3	6	8
3	7	4	8	2	6	1	5	9
9	6	8	3	1	5	7	4	2
5	3	9	1	4	2	8	7	6
4	8	6	9	5	7	2	3	1
1	2	7	6	3	8	4	9	5

ANSWERS

85

8	6	2	5	9	7	1	3	4
3	9	4	1	6	8	5	2	7
1	5	7	2	4	3	8	9	6
7	1	5	6	3	4	9	8	2
4	3	8	9	5	2	6	7	1
6	2	9	8	7	1	3	4	5
5	4	6	7	8	9	2	1	3
2	8	3	4	1	6	7	5	9
9	7	1	3	2	5	4	6	8

88

5	4	6	3	7	8	9	2	1
2	7	1	5	6	9	4	8	3
3	8	9	2	4	1	5	6	7
6	9	8	1	5	4	3	7	2
4	1	2	7	8	3	6	5	9
7	3	5	9	2	6	1	4	8
1	5	7	6	3	2	8	9	4
8	2	3	4	9	5	7	1	6
9	6	4	8	1	7	2	3	5

86

2	1	9	5	4	6	8	3	7
4	8	3	2	9	7	1	6	5
7	6	5	8	3	1	9	2	4
1	4	6	3	8	9	5	7	2
5	3	8	7	2	4	6	9	1
9	2	7	6	1	5	3	4	8
6	9	1	4	5	2	7	8	3
3	7	4	1	6	8	2	5	9
8	5	2	9	7	3	4	1	6

89

6	4	8	9	3	5	7	2	1
7	2	5	4	6	1	8	9	3
3	1	9	7	8	2	5	6	4
5	9	3	2	1	7	4	8	6
4	6	7	5	9	8	1	3	2
2	8	1	6	4	3	9	5	7
9	7	4	3	5	6	2	1	8
1	3	2	8	7	9	6	4	5
8	5	6	1	2	4	3	7	9

87

6	3	7	8	9	5	2	1	4
5	8	4	2	1	3	7	9	6
1	2	9	7	6	4	5	8	3
3	1	8	6	4	7	9	5	2
7	4	6	9	5	2	8	3	1
9	5	2	1	3	8	4	6	7
2	7	3	5	8	6	1	4	9
8	6	1	4	2	9	3	7	5
4	9	5	3	7	1	6	2	8

90

4	9	5	7	6	8	1	2	3
3	7	1	5	2	9	8	6	4
8	6	2	3	1	4	9	5	7
5	1	8	4	3	6	7	9	2
6	4	3	9	7	2	5	1	8
9	2	7	8	5	1	4	3	6
2	5	4	6	9	7	3	8	1
1	8	9	2	4	3	6	7	5
7	3	6	1	8	5	2	4	9

ANSWERS

91

4	1	7	6	2	5	3	9	8
9	2	8	4	3	1	5	6	7
6	3	5	9	8	7	4	1	2
5	8	1	7	6	4	2	3	9
2	6	9	1	5	3	8	7	4
7	4	3	2	9	8	1	5	6
3	7	2	8	1	9	6	4	5
8	5	4	3	7	6	9	2	1
1	9	6	5	4	2	7	8	3

92

5	4	3	7	2	6	9	1	8
1	2	8	4	9	5	3	6	7
9	7	6	8	1	3	2	4	5
2	9	1	3	4	8	5	7	6
8	5	7	9	6	1	4	3	2
6	3	4	2	5	7	8	9	1
3	8	2	6	7	4	1	5	9
7	1	9	5	3	2	6	8	4
4	6	5	1	8	9	7	2	3

93

6	1	9	7	3	2	8	5	4
8	2	4	5	9	1	6	7	3
3	7	5	8	6	4	9	2	1
5	4	6	1	8	3	7	9	2
7	9	2	4	5	6	3	1	8
1	8	3	2	7	9	4	6	5
4	3	1	6	2	7	5	8	9
9	5	7	3	1	8	2	4	6
2	6	8	9	4	5	1	3	7

94

9	8	1	2	5	7	3	4	6
2	3	7	8	6	4	9	5	1
5	6	4	1	3	9	8	7	2
7	9	5	4	1	3	6	2	8
8	4	3	6	7	2	5	1	9
1	2	6	9	8	5	4	3	7
3	5	9	7	2	6	1	8	4
4	7	8	5	9	1	2	6	3
6	1	2	3	4	8	7	9	5

95

9	4	5	7	6	8	2	1	3
8	6	7	3	1	2	9	4	5
2	1	3	5	4	9	8	6	7
1	3	8	2	5	4	6	7	9
6	7	9	8	3	1	4	5	2
4	5	2	9	7	6	1	3	8
5	2	1	4	9	7	3	8	6
7	9	4	6	8	3	5	2	1
3	8	6	1	2	5	7	9	4

96

8	7	9	5	2	3	4	1	6
6	3	1	8	4	7	2	5	9
2	5	4	9	6	1	7	3	8
4	2	7	1	5	8	9	6	3
5	9	6	3	7	2	1	8	4
3	1	8	4	9	6	5	7	2
9	8	3	2	1	5	6	4	7
7	4	5	6	3	9	8	2	1
1	6	2	7	8	4	3	9	5

ANSWERS

97

5	9	7	6	3	8	1	2	4
6	4	2	9	1	5	8	7	3
1	8	3	4	2	7	6	9	5
7	2	6	3	5	9	4	8	1
8	1	4	2	7	6	3	5	9
3	5	9	1	8	4	7	6	2
2	3	5	7	6	1	9	4	8
4	7	1	8	9	2	5	3	6
9	6	8	5	4	3	2	1	7

98

6	5	3	8	7	4	1	2	9
2	7	9	1	5	3	6	8	4
4	1	8	6	2	9	7	5	3
9	2	5	7	8	6	4	3	1
7	3	1	9	4	5	8	6	2
8	6	4	3	1	2	9	7	5
5	8	7	4	3	1	2	9	6
3	4	6	2	9	7	5	1	8
1	9	2	5	6	8	3	4	7

99

1	9	6	7	3	8	5	2	4
4	2	3	6	1	5	8	7	9
7	8	5	2	9	4	1	6	3
9	7	2	8	6	3	4	1	5
6	5	1	9	4	2	7	3	8
3	4	8	5	7	1	6	9	2
2	6	7	4	8	9	3	5	1
8	1	9	3	5	6	2	4	7
5	3	4	1	2	7	9	8	6

100

1	7	5	4	8	6	3	9	2
9	3	8	7	2	1	5	6	4
4	6	2	3	9	5	1	8	7
8	9	3	2	6	7	4	1	5
5	2	4	8	1	9	7	3	6
7	1	6	5	4	3	9	2	8
6	8	9	1	7	4	2	5	3
2	5	7	9	3	8	6	4	1
3	4	1	6	5	2	8	7	9

101

9	7	6	5	1	2	8	3	4
8	1	4	7	6	3	9	5	2
2	3	5	8	4	9	6	1	7
1	9	2	4	8	6	5	7	3
4	5	8	3	7	1	2	9	6
7	6	3	2	9	5	4	8	1
6	2	9	1	5	7	3	4	8
3	4	1	9	2	8	7	6	5
5	8	7	6	3	4	1	2	9

102

5	3	7	2	4	6	9	8	1
6	9	4	1	3	8	7	2	5
2	1	8	9	5	7	3	4	6
9	8	5	7	2	4	6	1	3
3	7	1	8	6	5	2	9	4
4	2	6	3	1	9	8	5	7
1	6	3	4	8	2	5	7	9
7	5	2	6	9	1	4	3	8
8	4	9	5	7	3	1	6	2

ANSWERS

103

4	2	6	3	8	9	1	7	5
8	3	9	1	5	7	2	6	4
5	1	7	2	4	6	3	9	8
2	7	4	6	3	8	9	5	1
1	9	5	7	2	4	6	8	3
3	6	8	9	1	5	7	4	2
9	8	1	5	7	2	4	3	6
7	5	2	4	6	3	8	1	9
6	4	3	8	9	1	5	2	7

104

5	6	1	2	8	3	7	4	9
9	4	8	7	5	6	3	2	1
3	7	2	1	4	9	5	6	8
6	5	7	8	2	1	4	9	3
2	8	9	3	6	4	1	5	7
4	1	3	9	7	5	2	8	6
8	2	6	5	3	7	9	1	4
1	3	5	4	9	8	6	7	2
7	9	4	6	1	2	8	3	5

105

5	8	3	2	4	7	1	9	6
4	6	9	5	3	1	2	7	8
1	7	2	8	6	9	4	5	3
9	5	4	7	2	3	8	6	1
3	2	7	1	8	6	5	4	9
8	1	6	9	5	4	3	2	7
7	9	5	4	1	8	6	3	2
6	4	8	3	9	2	7	1	5
2	3	1	6	7	5	9	8	4

106

1	5	3	7	8	2	9	4	6
7	8	6	3	9	4	1	5	2
2	9	4	6	1	5	7	3	8
5	7	2	9	6	1	4	8	3
9	6	8	4	2	3	5	1	7
4	3	1	8	5	7	6	2	9
3	2	9	1	4	6	8	7	5
6	4	5	2	7	8	3	9	1
8	1	7	5	3	9	2	6	4

107

6	1	8	3	7	5	2	9	4
7	5	4	8	2	9	6	3	1
3	2	9	1	6	4	7	5	8
5	4	2	6	9	8	1	7	3
1	9	7	5	3	2	4	8	6
8	3	6	7	4	1	5	2	9
9	7	5	4	8	6	3	1	2
2	6	3	9	1	7	8	4	5
4	8	1	2	5	3	9	6	7

108

9	6	7	1	8	5	2	3	4
2	8	5	3	4	9	7	1	6
3	1	4	2	7	6	9	8	5
4	2	3	8	9	1	6	5	7
8	5	1	6	2	7	3	4	9
7	9	6	4	5	3	8	2	1
6	3	8	9	1	4	5	7	2
1	7	2	5	6	8	4	9	3
5	4	9	7	3	2	1	6	8

ANSWERS

109

5	3	6	8	4	1	9	2	7
2	4	1	7	3	9	8	6	5
9	8	7	5	2	6	3	1	4
6	9	2	1	7	3	4	5	8
8	1	3	4	6	5	2	7	9
7	5	4	9	8	2	1	3	6
4	7	5	3	1	8	6	9	2
3	2	9	6	5	4	7	8	1
1	6	8	2	9	7	5	4	3

110

6	9	8	7	5	4	3	2	1
4	7	1	3	2	9	8	5	6
2	3	5	8	6	1	4	7	9
5	4	3	2	9	7	1	6	8
8	1	6	5	4	3	7	9	2
9	2	7	6	1	8	5	4	3
3	8	9	4	7	6	2	1	5
7	6	2	1	3	5	9	8	4
1	5	4	9	8	2	6	3	7

111

5	3	9	8	7	2	6	1	4
7	2	1	6	5	4	9	3	8
4	6	8	1	9	3	7	5	2
6	5	2	3	1	9	8	4	7
8	4	7	2	6	5	3	9	1
9	1	3	4	8	7	5	2	6
1	7	5	9	4	6	2	8	3
2	9	4	7	3	8	1	6	5
3	8	6	5	2	1	4	7	9

112

6	1	4	7	9	2	3	8	5
3	2	7	1	8	5	6	9	4
5	9	8	6	4	3	7	2	1
7	8	9	4	2	6	5	1	3
4	5	1	3	7	8	2	6	9
2	3	6	5	1	9	4	7	8
9	6	5	8	3	7	1	4	2
1	7	2	9	5	4	8	3	6
8	4	3	2	6	1	9	5	7

113

1	7	6	2	4	9	5	3	8
3	5	4	7	6	8	2	9	1
9	8	2	5	1	3	6	4	7
5	3	7	1	2	6	9	8	4
8	4	1	3	9	5	7	2	6
6	2	9	4	8	7	3	1	5
2	6	8	9	7	4	1	5	3
7	1	3	8	5	2	4	6	9
4	9	5	6	3	1	8	7	2

114

5	8	7	4	6	3	9	2	1
6	9	4	8	2	1	3	7	5
2	1	3	9	7	5	6	4	8
8	7	1	6	5	4	2	9	3
9	6	2	1	3	8	4	5	7
4	3	5	2	9	7	8	1	6
3	2	8	7	1	9	5	6	4
1	5	9	3	4	6	7	8	2
7	4	6	5	8	2	1	3	9

ANSWERS

115

9	6	4	3	7	5	2	1	8
5	1	3	4	2	8	6	7	9
2	7	8	1	9	6	3	5	4
3	4	7	9	8	2	1	6	5
8	5	2	7	6	1	9	4	3
1	9	6	5	4	3	7	8	2
7	2	1	8	3	4	5	9	6
4	3	9	6	5	7	8	2	1
6	8	5	2	1	9	4	3	7

116

3	7	5	8	2	1	9	6	4
4	1	8	6	3	9	2	5	7
2	6	9	4	5	7	1	3	8
6	8	1	7	9	4	3	2	5
9	2	4	5	8	3	6	7	1
7	5	3	1	6	2	4	8	9
5	3	6	9	1	8	7	4	2
8	9	7	2	4	6	5	1	3
1	4	2	3	7	5	8	9	6

117

4	5	9	3	6	7	8	2	1
8	3	7	4	2	1	9	5	6
2	1	6	9	8	5	3	4	7
9	2	5	8	1	3	6	7	4
1	8	3	6	7	4	5	9	2
7	6	4	2	5	9	1	8	3
5	7	2	1	9	6	4	3	8
6	4	8	5	3	2	7	1	9
3	9	1	7	4	8	2	6	5

118

9	4	2	6	7	5	3	8	1
3	6	7	8	2	1	4	9	5
8	5	1	4	9	3	2	7	6
2	7	3	5	8	6	9	1	4
6	9	4	3	1	2	8	5	7
1	8	5	9	4	7	6	3	2
7	1	9	2	6	8	5	4	3
5	2	8	1	3	4	7	6	9
4	3	6	7	5	9	1	2	8

119

6	1	3	8	7	5	9	2	4
8	2	4	9	3	1	7	6	5
5	9	7	4	6	2	8	3	1
2	3	9	5	8	7	1	4	6
7	8	5	1	4	6	3	9	2
1	4	6	2	9	3	5	7	8
4	6	8	3	5	9	2	1	7
3	7	2	6	1	8	4	5	9
9	5	1	7	2	4	6	8	3

120

5	6	7	9	3	4	8	2	1
3	1	2	7	5	8	6	9	4
8	9	4	2	1	6	3	7	5
1	2	5	6	4	3	9	8	7
7	3	8	5	9	2	4	1	6
6	4	9	1	8	7	2	5	3
4	5	3	8	7	9	1	6	2
9	7	6	3	2	1	5	4	8
2	8	1	4	6	5	7	3	9

ANSWERS

121

7	3	4	8	9	6	5	1	2
8	6	1	2	5	7	9	3	4
9	2	5	1	3	4	7	6	8
3	5	9	7	2	8	1	4	6
2	1	7	4	6	5	3	8	9
4	8	6	9	1	3	2	5	7
1	4	8	3	7	2	6	9	5
5	7	3	6	8	9	4	2	1
6	9	2	5	4	1	8	7	3

122

8	6	4	2	5	9	3	1	7
9	2	5	7	3	1	4	8	6
1	7	3	6	4	8	5	9	2
7	4	8	5	9	6	1	2	3
2	3	1	4	8	7	9	6	5
6	5	9	3	1	2	8	7	4
5	1	2	8	7	3	6	4	9
3	8	7	9	6	4	2	5	1
4	9	6	1	2	5	7	3	8

123

2	6	5	8	3	9	7	4	1
4	1	7	5	2	6	9	8	3
3	9	8	4	1	7	5	2	6
9	8	3	1	7	4	2	6	5
6	5	2	3	9	8	4	1	7
1	7	4	2	6	5	8	3	9
7	4	1	6	5	2	3	9	8
8	3	9	7	4	1	6	5	2
5	2	6	9	8	3	1	7	4

124

5	7	1	9	8	4	6	2	3
9	6	2	7	5	3	8	4	1
8	4	3	1	6	2	5	9	7
4	3	6	5	2	1	7	8	9
7	2	8	4	9	6	3	1	5
1	9	5	8	3	7	4	6	2
6	5	9	2	7	8	1	3	4
2	8	4	3	1	5	9	7	6
3	1	7	6	4	9	2	5	8

125

4	7	6	3	1	5	9	2	8
9	8	5	7	4	2	1	3	6
2	1	3	6	9	8	4	7	5
7	6	1	5	3	9	8	4	2
8	3	4	1	2	7	6	5	9
5	2	9	8	6	4	7	1	3
3	4	7	9	5	6	2	8	1
6	5	8	2	7	1	3	9	4
1	9	2	4	8	3	5	6	7

126

6	1	5	9	2	7	8	3	4
2	9	3	8	1	4	6	7	5
4	8	7	5	3	6	9	2	1
8	3	9	1	7	5	2	4	6
5	6	1	4	8	2	3	9	7
7	4	2	3	6	9	1	5	8
9	7	6	2	4	8	5	1	3
1	5	8	7	9	3	4	6	2
3	2	4	6	5	1	7	8	9

ANSWERS

127

7	2	1	4	6	3	5	9	8
8	4	9	2	5	1	3	7	6
6	5	3	7	9	8	4	1	2
9	7	8	5	2	4	1	6	3
5	3	2	1	8	6	7	4	9
4	1	6	3	7	9	8	2	5
1	9	4	6	3	5	2	8	7
3	6	7	8	4	2	9	5	1
2	8	5	9	1	7	6	3	4

130

1	8	2	3	4	7	9	5	6
5	3	7	6	9	1	2	8	4
9	4	6	2	5	8	1	7	3
3	1	4	8	2	9	5	6	7
6	7	5	1	3	4	8	2	9
8	2	9	7	6	5	3	4	1
2	9	3	4	8	6	7	1	5
4	5	1	9	7	2	6	3	8
7	6	8	5	1	3	4	9	2

128

9	8	6	4	3	1	5	2	7
5	3	1	9	2	7	8	4	6
2	7	4	5	6	8	3	9	1
6	4	5	1	7	9	2	3	8
7	1	8	2	5	3	4	6	9
3	2	9	8	4	6	7	1	5
8	6	7	3	1	2	9	5	4
1	5	2	7	9	4	6	8	3
4	9	3	6	8	5	1	7	2

131

3	7	9	5	4	2	6	1	8
5	8	2	9	6	1	4	7	3
1	6	4	7	8	3	2	5	9
7	4	3	6	1	9	8	2	5
9	1	5	8	2	4	7	3	6
6	2	8	3	7	5	1	9	4
2	9	6	1	3	8	5	4	7
8	3	1	4	5	7	9	6	2
4	5	7	2	9	6	3	8	1

129

6	4	3	5	7	2	8	9	1
7	2	5	9	1	8	4	3	6
1	8	9	3	6	4	2	5	7
8	5	1	6	4	9	3	7	2
4	9	6	7	2	3	5	1	8
2	3	7	1	8	5	9	6	4
3	6	2	8	5	7	1	4	9
5	7	8	4	9	1	6	2	3
9	1	4	2	3	6	7	8	5

132

8	5	9	3	7	1	4	6	2
6	1	2	8	4	9	3	5	7
3	4	7	6	2	5	9	8	1
7	3	6	9	5	2	1	4	8
4	9	8	7	1	6	2	3	5
5	2	1	4	3	8	6	7	9
9	6	4	1	8	7	5	2	3
1	7	5	2	6	3	8	9	4
2	8	3	5	9	4	7	1	6

ANSWERS

133

1	2	9	6	4	5	7	8	3
7	4	8	9	2	3	5	6	1
5	6	3	8	1	7	4	2	9
8	9	7	1	6	2	3	5	4
3	1	4	7	5	8	6	9	2
2	5	6	4	3	9	1	7	8
6	3	2	5	9	4	8	1	7
9	7	1	3	8	6	2	4	5
4	8	5	2	7	1	9	3	6

134

9	1	7	3	8	5	6	4	2
8	2	3	4	6	1	7	9	5
5	4	6	9	7	2	8	1	3
1	9	2	7	5	3	4	8	6
3	6	5	8	4	9	1	2	7
7	8	4	2	1	6	5	3	9
2	5	8	1	9	7	3	6	4
6	3	1	5	2	4	9	7	8
4	7	9	6	3	8	2	5	1

135

8	7	9	3	5	6	4	2	1
2	3	5	4	1	8	6	9	7
4	6	1	7	9	2	3	5	8
7	9	2	1	8	3	5	6	4
6	8	3	5	4	9	1	7	2
5	1	4	6	2	7	8	3	9
3	2	8	9	6	1	7	4	5
9	5	7	8	3	4	2	1	6
1	4	6	2	7	5	9	8	3

136

5	7	6	2	8	9	1	3	4
2	9	3	4	1	6	7	8	5
4	8	1	7	3	5	9	2	6
7	4	2	3	5	1	6	9	8
1	5	9	6	2	8	3	4	7
3	6	8	9	7	4	2	5	1
8	3	4	1	9	7	5	6	2
6	2	7	5	4	3	8	1	9
9	1	5	8	6	2	4	7	3

137

1	2	8	9	7	4	3	5	6
3	4	7	5	2	6	8	1	9
5	9	6	1	3	8	7	2	4
9	3	1	7	8	2	4	6	5
8	7	4	6	1	5	2	9	3
2	6	5	4	9	3	1	7	8
4	8	9	2	5	7	6	3	1
6	5	2	3	4	1	9	8	7
7	1	3	8	6	9	5	4	2

138

4	8	9	5	7	2	6	1	3
1	3	2	4	9	6	5	8	7
6	5	7	1	3	8	4	2	9
8	7	4	6	2	5	3	9	1
3	2	5	9	1	7	8	6	4
9	1	6	3	8	4	7	5	2
2	6	3	8	4	1	9	7	5
7	4	8	2	5	9	1	3	6
5	9	1	7	6	3	2	4	8

ANSWERS

139

8	2	9	4	1	6	5	7	3
5	4	6	7	9	3	8	2	1
1	7	3	8	2	5	4	9	6
4	6	1	9	5	8	7	3	2
2	8	7	6	3	4	9	1	5
9	3	5	1	7	2	6	8	4
3	9	2	5	4	7	1	6	8
7	5	8	2	6	1	3	4	9
6	1	4	3	8	9	2	5	7

140

1	4	8	5	6	3	9	2	7
3	9	7	8	4	2	1	5	6
5	6	2	7	9	1	4	8	3
4	5	6	2	1	7	8	3	9
2	8	3	4	5	9	7	6	1
7	1	9	6	3	8	2	4	5
8	3	1	9	2	6	5	7	4
6	2	5	1	7	4	3	9	8
9	7	4	3	8	5	6	1	2

141

2	6	4	1	5	9	7	3	8
5	1	3	8	7	2	9	4	6
8	7	9	4	6	3	1	5	2
9	4	7	6	2	5	8	1	3
1	5	2	7	3	8	6	9	4
3	8	6	9	1	4	2	7	5
7	2	5	3	8	1	4	6	9
4	3	1	2	9	6	5	8	7
6	9	8	5	4	7	3	2	1

142

4	7	5	2	9	1	8	6	3
9	2	6	3	8	5	7	4	1
3	1	8	6	7	4	9	2	5
8	5	1	4	2	6	3	9	7
2	4	9	7	3	8	1	5	6
7	6	3	5	1	9	2	8	4
5	8	7	9	4	3	6	1	2
6	9	2	1	5	7	4	3	8
1	3	4	8	6	2	5	7	9

143

4	5	3	2	7	9	1	6	8
9	6	8	5	3	1	4	7	2
2	7	1	8	6	4	5	3	9
8	4	9	6	1	5	7	2	3
7	1	5	3	2	8	6	9	4
3	2	6	4	9	7	8	1	5
1	3	4	9	8	6	2	5	7
6	8	2	7	5	3	9	4	1
5	9	7	1	4	2	3	8	6

144

9	6	7	1	2	8	3	5	4
2	8	4	3	7	5	9	1	6
3	1	5	9	4	6	2	7	8
5	4	6	2	1	9	8	3	7
8	7	2	5	3	4	6	9	1
1	3	9	8	6	7	5	4	2
4	9	3	7	8	2	1	6	5
6	5	8	4	9	1	7	2	3
7	2	1	6	5	3	4	8	9

ANSWERS

145

1	9	3	6	7	5	4	8	2
7	6	2	1	4	8	9	3	5
5	8	4	9	3	2	6	1	7
2	3	6	7	1	4	8	5	9
4	5	8	2	9	3	1	7	6
9	7	1	8	5	6	2	4	3
3	1	5	4	2	9	7	6	8
8	2	7	5	6	1	3	9	4
6	4	9	3	8	7	5	2	1

146

4	2	6	8	5	9	7	3	1
3	9	8	7	4	1	2	5	6
1	5	7	3	2	6	4	9	8
8	4	9	2	6	3	5	1	7
2	7	1	4	9	5	6	8	3
5	6	3	1	7	8	9	4	2
9	3	2	5	8	7	1	6	4
7	8	5	6	1	4	3	2	9
6	1	4	9	3	2	8	7	5

147

6	8	5	1	9	3	7	2	4
4	1	3	7	2	6	9	8	5
7	2	9	5	8	4	6	1	3
9	3	6	2	4	1	8	5	7
5	4	2	6	7	8	1	3	9
1	7	8	3	5	9	4	6	2
3	6	7	9	1	5	2	4	8
2	5	4	8	6	7	3	9	1
8	9	1	4	3	2	5	7	6

148

2	5	4	1	3	8	7	9	6
3	6	9	5	4	7	8	1	2
8	7	1	2	6	9	3	5	4
5	3	6	8	1	4	2	7	9
7	1	8	6	9	2	4	3	5
4	9	2	3	7	5	1	6	8
1	4	3	9	8	6	5	2	7
9	8	5	7	2	1	6	4	3
6	2	7	4	5	3	9	8	1

149

1	8	3	5	4	7	9	6	2
7	6	2	3	9	1	4	5	8
4	9	5	2	8	6	7	3	1
8	2	7	9	5	4	3	1	6
5	3	9	6	1	8	2	7	4
6	4	1	7	3	2	5	8	9
2	1	4	8	7	3	6	9	5
3	5	6	1	2	9	8	4	7
9	7	8	4	6	5	1	2	3

150

2	4	8	6	3	9	1	7	5
3	1	9	5	2	7	6	8	4
5	7	6	8	1	4	2	3	9
1	2	3	9	7	6	5	4	8
9	5	4	3	8	2	7	6	1
8	6	7	4	5	1	9	2	3
7	8	5	2	9	3	4	1	6
4	3	2	1	6	5	8	9	7
6	9	1	7	4	8	3	5	2

ANSWERS

151

5	7	1	3	6	9	8	2	4
2	8	9	4	5	1	3	6	7
3	6	4	7	2	8	9	1	5
9	1	8	2	4	5	6	7	3
6	2	3	1	9	7	5	4	8
4	5	7	8	3	6	2	9	1
8	9	2	5	7	4	1	3	6
7	3	5	6	1	2	4	8	9
1	4	6	9	8	3	7	5	2

152

2	4	3	6	5	8	1	7	9
6	9	8	2	1	7	3	4	5
7	1	5	4	9	3	6	8	2
1	5	9	7	3	2	8	6	4
8	7	4	1	6	9	2	5	3
3	6	2	8	4	5	9	1	7
9	8	1	5	2	4	7	3	6
5	2	7	3	8	6	4	9	1
4	3	6	9	7	1	5	2	8

153

2	3	9	7	6	1	8	5	4
1	6	8	5	4	3	7	9	2
4	7	5	8	9	2	6	1	3
8	1	4	3	5	7	2	6	9
6	9	3	2	1	4	5	8	7
5	2	7	6	8	9	4	3	1
9	8	1	4	2	6	3	7	5
7	4	6	9	3	5	1	2	8
3	5	2	1	7	8	9	4	6

154

1	5	3	4	7	9	8	6	2
7	8	4	6	5	2	1	9	3
2	9	6	3	1	8	7	4	5
8	7	9	5	3	6	2	1	4
6	2	5	1	8	4	9	3	7
4	3	1	2	9	7	6	5	8
3	6	7	9	2	5	4	8	1
9	1	8	7	4	3	5	2	6
5	4	2	8	6	1	3	7	9

155

4	9	3	2	1	7	6	8	5
8	2	7	3	6	5	1	9	4
6	5	1	4	8	9	7	3	2
1	4	9	6	5	3	8	2	7
5	3	2	8	7	1	4	6	9
7	6	8	9	4	2	5	1	3
3	7	6	5	9	8	2	4	1
9	8	5	1	2	4	3	7	6
2	1	4	7	3	6	9	5	8

156

9	8	7	2	1	3	5	4	6
5	3	4	7	6	8	2	1	9
1	6	2	9	5	4	3	7	8
8	7	5	6	3	2	4	9	1
2	1	6	5	4	9	7	8	3
4	9	3	8	7	1	6	5	2
3	2	9	4	8	5	1	6	7
7	4	8	1	2	6	9	3	5
6	5	1	3	9	7	8	2	4

ANSWERS

157

3	8	4	2	7	6	1	5	9
2	7	9	5	1	4	6	8	3
5	6	1	9	8	3	4	2	7
7	5	6	1	9	8	2	3	4
4	3	8	6	2	7	5	9	1
1	9	2	3	4	5	7	6	8
6	1	3	4	5	9	8	7	2
8	2	5	7	3	1	9	4	6
9	4	7	8	6	2	3	1	5

158

4	8	7	5	2	9	3	1	6
5	3	2	1	6	8	9	7	4
6	1	9	7	4	3	5	8	2
1	2	4	3	8	6	7	5	9
9	6	5	2	1	7	4	3	8
3	7	8	4	9	5	6	2	1
2	9	3	8	7	4	1	6	5
8	5	6	9	3	1	2	4	7
7	4	1	6	5	2	8	9	3

159

9	6	1	2	8	4	5	3	7
3	7	4	1	6	5	8	2	9
5	8	2	3	7	9	6	4	1
1	5	6	7	9	2	4	8	3
4	2	9	8	3	6	1	7	5
8	3	7	4	5	1	2	9	6
6	1	8	9	2	3	7	5	4
2	9	5	6	4	7	3	1	8
7	4	3	5	1	8	9	6	2

160

2	7	4	1	6	9	5	8	3
1	6	5	3	4	8	2	9	7
9	3	8	5	2	7	6	4	1
7	5	6	4	9	1	8	3	2
3	8	9	2	7	5	1	6	4
4	2	1	8	3	6	7	5	9
6	4	3	7	8	2	9	1	5
5	9	2	6	1	4	3	7	8
8	1	7	9	5	3	4	2	6

161

3	9	4	1	7	5	6	8	2
5	1	2	6	8	3	4	7	9
8	6	7	9	2	4	1	3	5
4	5	8	3	1	9	2	6	7
6	7	1	4	5	2	3	9	8
2	3	9	7	6	8	5	1	4
9	8	5	2	3	1	7	4	6
7	2	3	8	4	6	9	5	1
1	4	6	5	9	7	8	2	3

162

1	3	6	7	2	8	5	4	9
7	2	5	3	9	4	8	6	1
9	8	4	1	6	5	2	7	3
5	7	9	8	4	3	1	2	6
2	6	3	9	7	1	4	5	8
4	1	8	6	5	2	9	3	7
6	5	7	2	1	9	3	8	4
8	9	2	4	3	6	7	1	5
3	4	1	5	8	7	6	9	2

163

1	5	7	6	3	8	2	9	4
9	4	6	2	1	7	8	5	3
3	2	8	5	9	4	6	7	1
5	7	4	3	6	2	9	1	8
6	1	2	7	8	9	3	4	5
8	3	9	4	5	1	7	6	2
2	6	5	9	4	3	1	8	7
4	8	3	1	7	6	5	2	9
7	9	1	8	2	5	4	3	6